Mia,
la fée du mardi

Daisy Meadows

Texte français de Dominique Chichera-Mangione

Éditions
SCHOLASTIC

Mia,
la fée du
mardi

Pour Charlotte Tilley,

Avec tout mon amour et ma magie.

Un merci spécial à

Sue Mongredien

Catalogage avant publication
de Bibliothèque et Archives Canada

Meadows, Daisy
Mia, la fée du mardi / Daisy Meadows ;
texte français de Dominique Chichera-Mangione.

(L'arc-en-ciel magique. Les fées des jours de la semaine ; 2)

Traduction de : Tara, the Tuesday fairy.
Pour les 6-9 ans.

ISBN 978-1-4431-0910-9

I. Chichera, Dominique II. Titre. III. Collection : Meadows,
Daisy. Arc-en-ciel magique. Les fées des jours de la semaine ; 2.

PZ23.M454Mia 2011   j823'.92   C2010-906592-1

Édition publiée par les Éditions Scholastic,
604, rue King Ouest, Toronto (Ontario) M5V 1E1

5 4 3 2 1   Imprimé au Canada   116   11 12 13 14 15

Sources mixtes
Groupe de produits issu de forêts bien
gérées, de sources contrôlées et de bois
ou fibres recyclés
www.fsc.org Cert no. SW-COC-000952
© 1996 Forest Stewardship Council

FSC

Le vent souffle et il gèle à pierre fendre!
À la Tour du temps, je dois me rendre.
Les gnomes m'aideront, comme toujours,
À voler les drapeaux des beaux jours.

Pour les humains comme pour les fées,
Les jours pleins d'éclats sont comptés.
La rafale m'emmènera où je l'entends
Pour réaliser mon plan ignoble dès maintenant!

Table des matières

Un trophée scintillant

— Allez, Rachel! Tu peux y arriver!

Karine Taillon pousse des cris d'encouragement alors que son amie traverse en courant le terrain ensoleillé. Aujourd'hui, c'est le tournoi scolaire régional à l'école de Combourg. Les trois écoles locales sont réunies pour s'affronter dans toutes sortes de jeux et de sports.

Karine, qui passe les vacances scolaires à Combourg avec sa meilleure amie, Rachel Vallée, a pu venir assister à ce tournoi.

Le 100 mètres est la dernière épreuve de la matinée et Rachel s'en tire très bien. Elle est nez à nez avec une autre fillette dans la dernière ligne droite avant l'arrivée.

— Allez Rachel, ne lâche pas! crie Karine.

Les deux participantes sont si proches qu'il est impossible de savoir qui va gagner. Au tout dernier moment, Rachel dépasse l'autre fillette et franchit, la première, la ligne d'arrivée.

— Youpi! Rachel a gagné! s'écrie Karine en bondissant de joie.

Elle se précipite vers d'autres enfants qui regardaient la course, mais ils ont tous l'air triste. *Ils devaient vraiment vouloir que ce soit l'autre fille qui gagne,* pense Karine.

Rachel arrive quelques instants plus tard en souriant. Son visage est rouge.

— Ouf, c'était une course serrée, souffle-t-elle.

Karine lui retourne son sourire et s'exclame :

— Tu as été formidable. Quelle course excitante!

— Oui, c'était super, répond Rachel, mais as-tu remarqué que tous les autres semblent s'ennuyer?

Karine regarde autour d'elle. C'est vrai. Une fillette, qui se trouve à côté des deux amies, traîne les pieds dans l'herbe et se plaint auprès de son père qu'elle a trop froid.

Un des garçons plus âgés

se lamente qu'il a faim.
Même certains enseignants
semblent s'ennuyer.

Une pensée fulgurante
frappe les deux fillettes au
même moment.

— Ce doit être parce que le
drapeau du mardi a disparu, dit Karine
à voix basse.

— C'est exactement ce que j'allais dire,
approuve Rachel. Cela explique pourquoi
personne ne s'amuse aujourd'hui!

Rachel et Karine partagent un secret des
plus exaltants : elles sont en mission pour
aider les fées! Le Bonhomme d'Hiver a volé
les sept drapeaux des jours de la semaine dont
les fées ont besoin pour recharger leurs
baguettes magiques et s'assurer que tout le
monde a du plaisir aussi bien au Royaume
des fées que dans le monde des humains.

Mais dès que les drapeaux se sont retrouvés dans le château de glace du Bonhomme d'Hiver, ses gnomes se sont mis à s'amuser comme des fous. Ils lui ont joué beaucoup de tours et fait de nombreuses farces!

Exaspéré par les plaisanteries des gnomes, le Bonhomme d'Hiver a fait disparaître les drapeaux magiques dans le monde des humains d'un coup de vent violent. Les gnomes se sont alors glissés furtivement hors de son château pour tenter de retrouver les drapeaux. Ils s'étaient tellement amusés!

— Nous devons chercher Mia, la fée du mardi, déclare Rachel en jetant un coup d'œil plein d'espoir autour d'elle. Plus vite nous retrouverons le drapeau du mardi et mieux ce sera pour tout le monde!

À cet instant, une annonce se fait entendre dans les haut-parleurs.

— Les courses de la matinée sont terminées.
Veuillez vous rendre immédiatement au
gymnase où les prix seront décernés avant le
dîner. Merci.

Rachel emmène Karine au gymnase. Le
long du mur une scène a été installée. Les
participants ayant décroché les première,
deuxième et troisième places y monteront

pour recevoir leur médaille.

—Je te retrouverai après, d'accord? dit Rachel avant de rejoindre le groupe des gagnants qui attendent de recevoir leur prix.

— D'accord, répond Karine.

Puis elle va s'asseoir au fond du gymnase pour assister à la cérémonie.

Dès qu'elle s'installe sur son siège, elle remarque derrière elle une table sur laquelle est posée une grosse coupe dorée, plutôt impressionnante. *Ce doit être le trophée destiné à l'école qui aura gagné le plus d'épreuves*, se dit-il.

Une femme vêtue d'un ensemble de couleur

prune se présente sur la scène.

— Bonjour, dit-elle, je suis Marie Hébert, la directrice de l'école de Combourg. Je suis très heureuse d'être ici aujourd'hui pour remettre les médailles aux gagnants…

Tandis que la directrice continue son discours, un bruit léger attire l'attention de Karine. Elle tourne la tête et, à sa grande surprise, le trophée doré est plus brillant que jamais. Personne d'autre ne l'a remarqué, car tout le monde tourne le dos à la table sur laquelle il est posé. Puis, le couvercle du trophée se met à vibrer et un flot d'étincelles turquoise s'échappe de la coupe!

Un indice qui rime

Karine sait reconnaître la magie des fées lorsqu'elle en est témoin! Mais comment peut-elle se lever et examiner le trophée sans se faire remarquer ni éveiller de soupçons? Heureusement, juste à ce moment, tout l'auditoire se met à applaudir bruyamment les enfants qui ont gagné les prix.

Karine quitte furtivement son siège et se

dirige sur la pointe des pieds vers le trophée.
Elle s'en approche doucement, soulève le
couvercle et jette un coup d'œil à l'intérieur.
Une toute petite fée virevolte dans la coupe!

Karine et Rachel ont rencontré toutes les
fées des jours de la semaine la veille et Karine
reconnaît aussitôt Mia, la fée du mardi.

— Bonjour, Mia! chuchote-t-elle en
souriant.

Dès qu'elle voit le visage de Karine, Mia se précipite vers elle d'un air soulagé et sort de la coupe en voletant. Elle a de longs cheveux bruns bouclés et disciplinés dans une queue de cheval attachée haut sur la tête. Elle porte un boléro et un pantalon bleus, et un joli collier à petites fleurs orne son cou.

— Merci de m'avoir laissé sortir, répond-elle dans un murmure. Je suis venue pour tenter de retrouver le drapeau du mardi, mais je n'avais pas prévu rester coincée dans ce trophée!

— Eh bien, on peut dire que tu arrives juste au bon moment, lui répond Karine à voix basse. Personne ne s'amuse ici.

Mia ouvre la bouche pour répondre, mais son attention est détournée par ce que dit la directrice.

— Je suis désolée de vous annoncer que les médailles et les certificats destinés à nos gagnants ont disparu. Pour le moment, les gagnants recevront un bon et nous ferons une pause pour le dîner. Je suis certaine que nous retrouverons bientôt les prix.

Aussitôt, des murmures de déception s'élèvent et la foule commence à quitter le gymnase. Mia se glisse promptement dans la poche de Karine pour se cacher.

— J'attendais de recevoir mon prix, dit d'un ton triste une petite fille près de Karine. Ce tournoi régional n'est pas

amusant du tout.

Rachel va rejoindre Karine et Mia, l'air bouleversé. Mais son visage s'éclaire lorsqu'elle voit la petite fée sortir de la poche de Karine.

— Oh, Mia, Dieu merci, tu es là! Allons trouver un coin tranquille pour parler. Nous devons absolument retrouver ce drapeau.

Les trois amies quittent le gymnase et Rachel les guide vers un couloir désert.

— Tout le monde est parti dîner; nous ne devrions pas être dérangées ici.

— Mia, le Livre des jours a-t-il donné un indice? demande Karine.

Rachel et Karine ont appris que tous les matins au Royaume des fées, Francis, le gardien royal du temps, consulte un grand livre pour vérifier quel est le jour de la semaine. Puis, il hisse le drapeau du jour sur le mât.

La veille, alors que tous les drapeaux avaient disparu, le Livre de la semaine avait offert un indice sous forme d'énigme au lieu du nom du jour.

L'indice avait aidé les fillettes à trouver le drapeau de Lina, la fée du lundi.

— Francis a regardé dans le Livre ce matin, déclare Mia. Voici le nouveau poème qui y figurait :

Parmi des drapeaux multicolores
Sur un terrain de sport
Un drapeau magique...
N'est-ce pas magnifique?

— Terrain de sport… répète Rachel d'un air songeur.

— Oui, c'est bien cela, assure Mia. Le drapeau du mardi est turquoise et brillant, et…

La porte d'un placard qui se trouve derrière les fillettes s'ouvre brusquement! Karine et Rachel font un bond de côté. Des balais et des vadrouilles s'effondrent pêle-mêle sur le sol. Apparaissent alors deux gnomes rieurs qui n'ont pas manqué un mot de l'énigme!

— Merci de nous avoir récité l'énigme, caquette l'un d'entre eux.

— Oui, maintenant nous savons où chercher le drapeau, ajoute l'autre. Et nous allons le ramener avec nous!

Sur ce, les gnomes se sauvent le long du couloir en courant et en ricanant.

Les gnomes ont une longueur d'avance

— Oh, non! s'écrie Karine. Où s'en vont-ils?

— Ne t'inquiète pas, dit Rachel. Tout va bien. Je crois que j'ai compris l'énigme. L'indice est caché dans les premières lignes.

Mia jette un regard alarmé autour d'elle.

— Ne dis pas un mot de plus. Il pourrait y avoir un autre gnome sournois dans le coin.

Emmène-nous simplement où tu crois que se trouve le drapeau.

— D'accord, répond Rachel. Par ici!

Mia agite vivement sa baguette et tous les balais et les vadrouilles retrouvent leur place dans le placard. La porte se referme dans une explosion d'étincelles turquoise. Puis, Rachel entraîne Karine et Mia vers le terrain de sport.

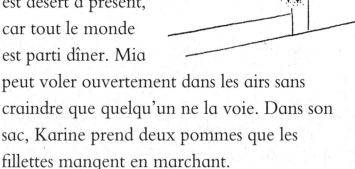

Heureusement, il est désert à présent, car tout le monde est parti dîner. Mia peut voler ouvertement dans les airs sans craindre que quelqu'un ne la voie. Dans son sac, Karine prend deux pommes que les fillettes mangent en marchant.

Lorsqu'elles arrivent sur le terrain de sport, Rachel montre du doigt les fanions multicolores qui flottent au vent.

— L'énigme disait *parmi des drapeaux multicolores, un drapeau magique,* n'est-ce pas? Alors, je crois qu'il devrait être quelque part parmi tous ces fanions.

— Formidable! s'écrie Mia qui bat des mains de joie.

Elle regarde autour d'elle avec une lueur déterminée dans les yeux, puis elle ajoute :

— Cependant, il y a beaucoup de fanions turquoise et, vu d'ici, je ne peux pas dire lequel est le mien. Nous allons devoir les examiner un par un pour trouver le drapeau du mardi.

Karine examine le terrain de sport. Les
fanions sont attachés à une corde tendue
entre des mâts disposés en forme de rectangle.
Ils délimitent l'endroit où se sont déroulées les
courses. Les fillettes et Mia sont debout près
de la ligne de départ à un angle du rectangle.

Les banderoles de fanions s'étendent dans
deux directions différentes.

— Je vais commencer par regarder de ce côté, déclare Karine en montrant la rangée sur sa droite.

— Et je vais examiner les fanions qui se trouvent au-dessus de la ligne de départ, annonce Rachel en se tournant vers sa gauche.

— Moi, je vais voler jusqu'au bout du terrain pour examiner ceux qui se trouvent au-dessus de la ligne d'arrivée, réplique Mia en s'éloignant rapidement.

Karine se met à marcher lentement en examinant chaque fanion turquoise qui se trouve de son côté. Il y a des centaines de fanions rouges, blancs, orange, jaunes et turquoise qui flottent au vent.

Elle espère voir une ou deux étincelles qui révéleraient la présence de la magie des fées. Mais pour l'instant, il n'y a aucun signe du drapeau du mardi!

Karine regarde l'enfilade de fanions pour voir jusqu'où elle doit aller. C'est alors qu'elle remarque un fanion turquoise à l'autre bout de la corde. Un fanion que les rayons du soleil font scintiller énormément. Il est tellement brillant et étincelant qu'elle est certaine qu'il s'agit du drapeau du mardi!

— Par ici! crie-t-elle à Rachel et Mia en désignant le fanion.

Puis elle se retourne pour regarder les drapeaux et son sourire s'évanouit. Deux gnomes viennent de sortir de derrière un arbre et ils ont tout vu!

— Oh, non! lance Karine en se mettant à courir.

Mais les deux gnomes sont plus près du fanion et avant que Karine puisse l'atteindre, ils s'en approchent en lâchant un cri de triomphe.

— Ne t'inquiète pas! Ils ne sont pas assez grands pour atteindre le fanion, lui souffle Rachel en courant vers elle.

C'est exact, les gnomes sont trop petits pour s'en emparer, même en se tenant sur la pointe des pieds.

— C'est ce que vous croyez! se moque un des gnomes.

Il se penche en entrecroisant les doigts de

ses deux mains pour former une « marche » et
fait la courte échelle à l'autre gnome.
Celui-ci met son pied sur la « marche » et son
ami le propulse dans les airs. Le gnome saisit
fermement le fanion de ses doigts verts et

noueux et tire la langue aux fillettes.

— Que disiez-vous? Que nous étions trop petits? Eh bien, nous avons réussi. À présent, grâce à ce drapeau, nous, les gnomes, aurons de nombreux mardis très joyeux!

Des amies pleines d'astuces

Le gnome tire sur le fanion d'un air satisfait, mais son sourire ne tarde pas à s'effacer. Le fanion ne bouge pas!

Karine retient son souffle en espérant que le gnome ne pourra pas le détacher.

Mais au même moment, le fanion turquoise se libère brusquement, se déplie et reprend sa forme rectangulaire habituelle dans la main

du gnome. Karine aperçoit le motif distinct du soleil turquoise qui se démarque du fond de même couleur par sa brillance.

— Je l'ai! rugit le gnome d'un air triomphant en retombant sur le sol.

— Sauve-toi! crie l'autre gnome, en courant à toute vitesse à travers le terrain, dans la direction opposée aux fillettes et à Mia.

— Poursuivons-les! lance Rachel.

Karine est juste derrière elle.

— Revenez avec ce drapeau! crie-t-elle.

Mais les gnomes ne s'arrêtent pas. Ils parcourent tout le terrain, puis entrent dans une tente qui a été dressée en cas de pluie.

Les fillettes et Mia les suivent à l'intérieur et regardent autour d'elles.

Il y a des piles de tapis
servant au saut en hauteur
ainsi que des sacs pour la
course en sac, des
cerceaux, des haies, des
cônes et toutes sortes
d'articles de sport
pour le tournoi
régional, mais
aucun signe des
gnomes verts.

— Il y a
plein de bons
endroits pour se
cacher ici,
murmure Rachel à
ses amies. Nous
ferions mieux de
commencer à chercher
ces gnomes!

Karine fait le tour des tapis, mais les gnomes ne sont pas cachés là. Rachel regarde derrière le support de cerceaux, mais il n'y a pas de gnomes là non plus. Mia agite sa baguette au-dessus d'une grande boîte remplie de balles de tennis et, dans un flot d'étincelles turquoise, toutes les balles bondissent hors de la boîte les unes à la suite des autres.

— Il n'y a pas de gnomes là-dedans, dit-elle en voletant au-dessus de la boîte vide et en agitant sa baguette une deuxième fois.

Aussitôt, les balles retournent dans la boîte de façon ordonnée. Puis Rachel se dirige vers un tas de sacs. En s'approchant, elle aperçoit deux sacs à l'envers. Des pieds verts de gnome dépassent de dessous! Puis elle remarque qu'un coin du drapeau turquoise scintillant sort également du sac! Les gnomes ont mis des sacs vides sur leurs têtes pour tenter de se cacher.

Sans un mot, Rachel attire l'attention de

Karine et Mia en faisant de grands signes et montre les sacs du doigt. Puis, elle attire ses amies derrière un tas de haies pour qu'elles puissent se concerter.

— Nous devons trouver un moyen infaillible de faire sortir les gnomes, dit Rachel.

— Oui, et aussi un moyen de récupérer le drapeau! enchaîne Karine à voix basse.

Elle regarde autour d'elle dans la tente.

— Nous pourrions chatouiller le gnome qui
tient le drapeau jusqu'à ce qu'il le lâche,
suggère Rachel dans un murmure. Tu sais
combien les gnomes détestent se faire
chatouiller.

Mia prend un air sceptique.

— Oui, mais le drapeau est déjà dans le sac avec le gnome, fait-elle remarquer. Il lui suffirait de le tirer un peu plus à l'intérieur.

Rachel et Mia lancent un regard vers Karine, en espérant qu'elle aura une meilleure idée. Rachel peut voir que Karine réfléchit très fort. Après quelques instants, Karine dit en souriant :

— J'ai une idée. Et je crois que ça devrait fonctionner!

La course à trois jambes

— Les gnomes se tiennent très près l'un de l'autre. Donc, arrangeons-nous pour qu'ils fassent une course à trois jambes, plaisante Karine en sortant une corde à sauter de la boîte. Mia, pourrais-tu nouer cette corde autour de la jambe droite d'un gnome et de la jambe gauche de l'autre gnome d'un coup de baguette magique?

À cette idée, Rachel met sa main devant la
bouche pour ne pas éclater de rire. Mia
sourit, elle aussi, tandis qu'elle agite sa
baguette dans les airs. L'instant d'après, la
corde à sauter glisse docilement vers les
gnomes. Dans un tourbillon d'étincelles
magiques turquoise, elle s'enroule
d'elle-même autour de la
jambe gauche du premier
gnome et de la jambe
droite du deuxième
gnome, avant de former
un nœud très serré. La
corde marque un
temps d'arrêt et fait
de jolies boucles
dans une
explosion
d'étincelles
brillantes.

Mia rit doucement.

— Ils ne pourront pas courir très loin avec
mon drapeau, à présent, dit-elle en clignant
des yeux.

— Maintenant, je vais attraper le drapeau!
murmure Rachel.

Elle s'approche en douce
du sac duquel dépasse le
drapeau du mardi.
Très lentement, elle
saisit le morceau de
tissu turquoise et le
tire de toutes ses
forces. Les gnomes
sont pris par surprise,
et le drapeau se libère
immédiatement.

— Hé! crie le gnome. Qui a fait ça? Qui a pris le drapeau? Est-ce toi?

— Moi? Non! réplique l'autre gnome. Ce doit être ces enquiquineuses. Vite, nous devons sortir de ces sacs!

Rachel court rejoindre ses amies tandis que les deux gnomes sortent de leur sac et tentent de poursuivre les fillettes. Mais ils n'ont pas encore réalisé que leurs jambes sont attachées ensemble.

— Waouh! crie le premier qui est tiré en arrière par le deuxième. Que se passe-t-il?

Le second gnome essaie de se lever, mais il n'y arrive pas. C'est alors qu'il remarque la corde à sauter enroulée autour de sa jambe.

— Elles nous ont joué un tour! marmonne-t-il. Nous sommes attachés ensemble!

Il essaie de défaire le nœud, mais sans succès. La magie des fées le garde bien serré!

Après un moment, il abandonne. Les deux gnomes essaient de se lever et de

marcher ensemble. Rachel et Karine ne
peuvent s'empêcher d'observer les deux
gnomes qui oscillent, chancellent et
retombent sur le sol. C'est si drôle!

— Hé, arrête de me pousser! grince le
premier gnome.

— C'est toi qui me pousses! rétorque l'autre
gnome. Et maintenant ces filles ont notre
drapeau!

— Désolée, dit Mia en voletant devant les
gnomes. Mais, c'est mon drapeau et si vous

essayez encore de le voler, je dirai au
Bonhomme d'Hiver que vous essayez de
ramener le drapeau dans son château de
glace à son insu!

Puis, elle ajoute en
souriant :

— Ne vous inquiétez
pas. Aussitôt que mon
drapeau sera de retour
au Royaume des fées, là
où il doit être, cette
corde se dénouera sous
l'effet de la magie.

En entendant ces mots,
les gnomes ont un
mouvement de
découragement. Ils savent que
c'est peine perdue. Ils soupirent et trébuchent
en grommelant toujours contre la corde à
sauter qui les attache ensemble.

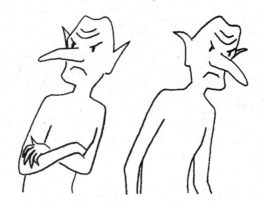

— Et voilà, Mia, dit Rachel en tendant le drapeau scintillant à la petite fée.

— Merci, répond Mia en agitant sa baguette au-dessus du drapeau pour lui redonner sa taille du Royaume des fées.

Pour s'adapter au monde des humains, le drapeau était devenu plus grand sous l'effet de la magie.

— À présent, je ferais mieux de vite rentrer au Royaume des fées pour recharger ma baguette de la magie du mardi.

Les fillettes savent que le pouvoir magique doit être récupéré par les fées des jours de la semaine d'une façon spéciale. Mia devra retourner au Royaume des fées et donner le drapeau du mardi à Francis qui le hissera au

sommet du mât de la Tour du temps.

Puis Mia se tiendra en bas, dans la cour intérieure et lèvera sa baguette. Lorsque les rayons du soleil toucheront le motif brillant du drapeau, un flot de magie du mardi se

reflétera dans le drapeau et descendra dans la baguette de Mia.

— Je ne serai pas absente longtemps, dit Mia. Et lorsque je reviendrai, je pourrai faire de ce tournoi régional une journée des plus amusantes!

Un mardi plaisant pour tous!

— Parfait, lance Rachel d'un ton joyeux.
À bientôt!

Elles agitent la main pour saluer la fée
souriante et la regardent disparaître dans un
tourbillon de poudre magique scintillante.
Puis, quelques instants plus tard, une
enseignante entre dans la tente, surprise d'y
trouver les fillettes.

— Bonjour, dit l'enseignante en affichant un air confus.

Puis, elle ajoute en souriant :

— Oh, vous êtes venues m'aider à prendre les sacs pour la course en sac, j'imagine.

— Hum… oui, s'empresse de répondre Rachel, soulagée qu'il n'y ait plus deux

méchants gnomes dans les sacs!

— Très bien, réplique l'enseignante en prenant une pile de sacs. Si vous pouvez prendre toutes les deux une autre pile de sacs, cela m'aiderait beaucoup. Les épreuves de l'après-midi vont commencer dans quelques minutes.

— Bien sûr, répond Karine poliment en ramassant une pile de sacs.

— J'espère que Mia va revenir bientôt, murmure Rachel à Karine tandis qu'elles sortent de la tente. Regarde toutes ces mines tristes!

Rachel et Karine transportent les sacs de l'autre côté du terrain et les laissent tomber près de la ligne de départ. Karine regarde autour d'elle. Beaucoup d'enfants sont revenus sur le terrain après le dîner, mais ils ont tous un air misérable.

À cet instant, une annonce se fait entendre dans les haut-parleurs.

— La course en sac va bientôt commencer. Tous les participants sont invités à prendre place sur la ligne de départ.

Alors que les épreuves du matin étaient réservées aux élèves des trois écoles, les activités de l'après-midi sont des courses et des jeux auxquels tout le monde peut participer, y compris les invités, les parents et les enseignants. Karine et Rachel ont prévu prendre part toutes les deux à de nombreuses épreuves, y compris la course en sac.

Elles observent les garçons et les filles qui se rendent à la ligne de départ sans aucun enthousiasme, l'air morose.

— Mon sac semble bien rugueux, grommelle une fillette en entrant à l'intérieur.

— Je me demande bien quelle idée j'ai eue de m'inscrire à cette course, marmonne son amie.

Karine et Rachel se glissent dans leur sac
en cherchant du regard un signe de Mia.

— J'espère que tout va bien, murmure
Karine à Rachel. Et si quelque chose était
arrivé à Mia et à son drapeau?

— À vos marques… prêts… annonce une
enseignante en portant un sifflet à ses lèvres.
PARTEZ!

Au moment où le coup de sifflet retentit, des étincelles turquoise scintillent autour des participants à la course en sac. L'enseignante a l'air surprise, mais Karine et Rachel se regardent en souriant.

— La poudre magique! souffle Karine en riant.

— Mia doit être de retour avec sa magie

du mardi! ajoute Rachel d'un ton
joyeux. Elle arrive juste à
temps.

— Oups!... La course a
commencé! lance Karine
en se souvenant
brusquement qu'elles
sont censées
sautiller dans
leur sac. Allez,
Rachel!

Tandis
qu'elles
avancent par
petits bonds en essayant
d'atteindre la ligne
d'arrivée les premières,
elles entendent les autres
enfants éclater de rire.

— C'est tellement amusant!
s'écrie un garçon près de
Rachel, la bouche fendue
jusqu'aux oreilles.

— Tu ne pourras pas
m'attraper! crie une fille
entre deux éclats de rire.
Karine et Rachel ne
peuvent s'empêcher de
rire, elles aussi. Elles
sautent l'une près
de l'autre et
Karine dit :

— La magie des
fées fait des merveilles!

— Soudain, tout le
monde s'amuse follement!
Et tout cela, grâce à Mia,
s'écrie Rachel en riant. Hourra pour la
magie des jours de la semaine!

La foule acclame bruyamment la fillette gagnante.

Rachel et Karine sont les dernières à franchir la ligne d'arrivée, mais cela ne les dérange pas du tout. Elles sont tellement contentes!

Puis, une annonce spéciale se fait entendre dans les haut-parleurs :

— Nous avons de bonnes nouvelles : les médailles et les certificats des gagnants viennent

juste d'être retrouvés. Tout le monde pourra
venir les chercher avant de rentrer chez soi!

— Hourra! crient tous les enfants.

— On dirait bien que le reste de la journée
sera rempli de plaisir, maintenant, dit Karine
d'un ton joyeux.

— Je crois bien,
répond une petite
voix, juste derrière
son oreille.

Karine et Rachel
adressent un sourire à
la petite fée qui a
réapparu près d'elles.

— Merci Mia, dit
Rachel. Tout le monde
s'amuse vraiment à présent.

— Je suis venue vous remercier
de m'avoir aidée, réplique Mia. À présent, je
peux répandre ma magie du mardi partout.

65

Avant de m'en aller, je tiens à vous souhaiter
bonne chance dans la prochaine course.
Avez-vous entendu de quoi il s'agit?

— Non, répond Karine. Qu'est-ce que
c'est?

Mia sourit d'un air mystérieux.

— Je crois que vous allez aimer cela. Au
revoir!

Elle agite sa baguette et aussitôt des
étincelles turquoise virevoltent autour d'elle.
Puis, elle disparaît.

Avant que Karine ou Rachel puisse dire quoi que ce soit, une autre annonce se fait entendre :

— La prochaine épreuve sera la course à trois jambes. Je demande à tous les participants de bien vouloir se rendre à la ligne de départ pour se faire attacher les jambes.

Rachel et Karine éclatent de rire.

— Nous n'allons pas manquer celle-là, dit Rachel en prenant la main de Karine.

Karine acquiesce d'un signe de tête.

— Nous ne pouvons pas être plus mauvaises que les gnomes!

L'ARC-EN-CIEL
magique

LES FÉES DES
JOURS DE LA SEMAINE

Lina et Mia ont récupéré
leur drapeau. Maintenant, Rachel
et Karine doivent aider

Maude,
la fée du
mercredi!

— C'est formidable, dit Rachel Vallée en souriant à sa meilleure amie, Karine Taillon, tandis qu'elles visitent l'exposition d'artisanat qui se déroule au centre communautaire de Combourg. Je ne sais pas par où commencer!

L'exposition bat son plein. Des tables en bois recouvertes de longues nappes blanches ont été disposées pour former un grand carré, et sur chaque table se trouvent différents

articles d'artisanat.

Sur une table, Rachel et Karine aperçoivent des piles de tissus de velours, de satin et de soie pour faire les courtepointes, et des aiguilles à tricoter et des paniers remplis de pelotes de laine moelleuse sur une autre. Dans un coin, un homme fait une démonstration d'origami et dans un autre, la mère de Rachel, Mme Vallée, explique en quoi consiste le montage d'un album-souvenir. À chaque table, un espace est réservé pour permettre aux gens de mettre leurs talents à l'essai et il y a déjà de longues files devant certaines d'entre elles.

— C'est formidable, n'est-ce pas? dit Karine en regardant autour d'elle. De plus, je crois qu'avec tant de tissus et de papiers de toutes les couleurs, ce serait l'endroit parfait pour trouver un des drapeaux des fées des jours de la semaine!